Bodensee

Bodensee

Europas
großes Binnenmeer

EDITION
Quadra

im Tecklenborg Verlag

Der Bodensee, der See der tausend
Namen, liegt am Fuße der Alpen, im Drei-
ländereck von Deutschland, Österreich
und der Schweiz. Eine begünstigte Region
geprägt von mildem Klima und einer
reizvollen Hügellandschaft. Durch stets
neue Stimmungsbilder zieht der Bodensee
viele Menschen in seinen Bann. Er lockt
mit blühenden Obstgärten, der Blumen-
insel Mainau und mit Schiffsfahrten
vor einem traumhaften Alpenpanorama.

Die Fische im Bodensee werden noch heute, jeden Abend mit diesen
Fischernetzen gefangen und allmorgendlich eingeholt.

Die Pfahlbauten von
Uhldingen zeigen, wie die
Menschen vor 5.000
Jahren den Bodensee
besiedelt haben.

Die Imperia im Konstanzer Hafen.

Konstanz ist die größte Stadt am Bodensee. Dynamisch, jung und weltoffen ist sie die einzige Stadt am Bodensee mit großstädtischem Flair. Die ideale Lage in der Bodenseebucht zog schon recht früh Siedler nach Konstanz. Konstanz wurde Bischofssitz und entwickelte sich bald zu einem bedeutenden Handelszentrum für Leinen.
Bei einem Besuch der Innenstadt wird man von den verschiedenen Epochen eingeholt. Kirchen, verschnörkelte Türmchen, prunkvolle Villen, bizarre Dächer von Jugendstilhäusern und vieles mehr bildet den Hintergrund für die Promenade am See.

Die hügelige, waldreiche Landschaft zwischen Über-
lingen und Untersee gehört ganz sicher zum ruhigeren
Teil des Bodensees. Der Bodanrück, die Landzunge im
Dreieck Konstanz-Radolfzell-Ludwigshafen hat einen
ganz entscheidenden Vorteil: Sie ist noch nicht durch
eine breite Hauptverbindungsstraße entstellt. So prägen
Wälder, Riede, kleine Bauerndörfer und bis zu 600 m
ansteigende Berge das Landschaftsbild. Kein Wunder,
dass sich eines der schönsten Naturdenkmäler
des Bodensees am Bodanrück findet. Es ist die Marienschlucht – eine urig verwachsene Klamm, die ihren
Namen einer Gräfin Maria von Bodman verdankt.

Die Marienschlucht führt die Wanderer von
den Höhenzügen des Bodanrück durch
einen schmalen Klamm direkt an das Ufer
des Bodensees. Von dort kann man sich
im Sommer mit dem Boot abholen lassen.

Das Eriskircher Ried ist
ein geschütztes Natur-
paradies. Wild wucherndes
Ried mit seltenen Sumpf-
pflanzen und Schilfwäldern
trennt das Dorf Eriskirch
vom See und lockt vor allem
Naturliebhaber an.

Gemüsefelder, Obstplantagen, Weinreben,
Gewächshäuser und dazwischen die
markanten Türme der drei Inselkirchen.
Das sind die Erkennungsmerkmale
der Insel Reichenau. Das Münster der
ehemaligen Benediktinerabtei auf
Reichenau ist Weltkulturerbe der UNESCO.

Die schmalen gepflasterten Gassen, Fachwerkhäuser und Erker
verleihen Meersburg ein mittelalterliches Flair. Die 1200 Jahre alte
Meersburg thront seit vielen hundert Jahren über dem Seeufer.
Hier residierten 300 Jahre die Konstanzer Fürstbischöfe.

Die Natur selbst formte das Allgäu grenzenlos schön. Vom glitzernden Bodensee herauf über die hügelige Voralpenlandschaft bis zu den alpinen Majestäten im hohen Süden. Gleich hinter Lindau beginnt die hügelige Landschaft des Vorderallgäus.

Alles auf der Mainau mutet so südländisch, so mediterran
und heiter an: die Palmen, die Orchideen, die Zitrusfrüchte,
die Schmetterlinge und mitten drin barocke Architektur.
Die Insel Mainau ist die Königin des Bodensees.

An der breitesten Stelle des Sees dominiert Friedrichshafen, die Wiege der Luftfahrt. Berühmt wurde Friedrichshafen am 2. Juli 1900, als das von Graf Ferdinand von Zeppelin erbaute Luftschiff erstmals über der Stadt schwebte. Durch diese technische Errungenschaft verwandelte sich Friedrichshafen innerhalb von wenigen Jahren in einen Industriestandort, der bis heute vom Erbe des Grafen profitiert.

Besonders im Spätherbst und Winter lassen sich solche farbenfrohen Abende erleben, wie hier beim Blick auf die Silhouette der Schlosskirche Friedrichshafens.

Das letzte Licht des Tages taucht nach einem heftigen Sommerregen den Bootssteg und das Schloss Montfort in Langenargen in eine Symphonie aus blauer Farbe.

Historische Badehäuser am Seeufer sind rar
geworden. Hier bei Wasserburg gibt es sie noch.

Das Schloss Montfort, erbaut aus farbigem
Backsteinmauerwerk in maurischem Stil, ist
das Wahrzeichen von Langenargen.

Vom Hoyersberg hat man einen der schönsten Ausblicke auf die Insel Lindau. An klaren Tagen scheinen die Alpen zum Greifen nah. Der schönste Leuchtturm am See steht in der Hafeneinfahrt von Lindau.

Der Inhalt dieses Buches wurde auf Papier mit
chlorfrei gebleichtem Zellstoff gedruckt.

Die Deutsche Bibliothek – CIP-Einheitsaufnahme

1. Auflage 2005
© 2005 by Tecklenborg Verlag, Steinfurt

Gesamtherstellung: Druckhaus Tecklenborg, Steinfurt

Alle Rechte vorbehalten

ISBN 3-934427-62-6

Fotos: Markus Mauthe